勇敢的小斑点

[韩]金永元 著 [韩]金福勇 插图 许恩华 译

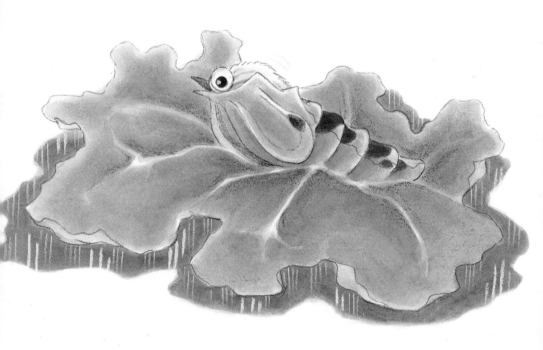

花山文艺出版社

图书在版编目(CIP)数据

勇敢的小斑点:忍耐篇/[韩]金永元著;[韩]金福勇绘;
许恩华译.—石家庄:花山文艺出版社,2005
（小学生人生养成魔法童话系列）
ISBN 7-80673-723-5

Ⅰ.勇... Ⅱ.①金... ②金... ③许... Ⅲ.童话—韩国—
现代 Ⅳ.I312.688

中国版本图书馆 CIP 数据核字(2005)第 094671 号

冀图登字：03-2005-022 号

丛 书 名：小学生人生养成魔法童话系列

书　　名：**勇敢的小斑点**(忍耐篇)

著　　者：[韩]金永元

插　　图：[韩]金福勇

译　　者：许恩华

策　　划：张采鑫

责任编辑：卢水淹

特约编辑：高长梅

装帧设计：红十月工作室

责任校对：童 舟

出版发行：花山文艺出版社(邮政编码:050061)
　　　　　（河北省石家庄市友谊北大街 330 号）

网　　址：http://www.hspul.com

销售热线：0311-88643226 / 32 / 35 / 43

传　　真：0311-88643234

印　　刷：北京国彩印刷有限公司

经　　销：新华书店

开　　本：860×1290　1/24

字　　数：50 千字

印　　张：4.375

版　　次：2006 年 1 月第 1 版　2006 年 1 月第 1 次印刷

书　　号：ISBN 7-80673-723-5 / I·345

定　　价：9.80 元

思维在要魔术

　　小朋友们真是需要非常多的营养成分。

　　只有摄取好的养分,才能健康苗壮地成长起来。妈妈和爸爸温暖的爱是很好的养分, 可口的饭菜也是非常好的养分。

　　如果在成长过程中没有妈妈、爸爸的爱,也吃不到可口的饭菜,那将会怎样呢? 如果那样,就绝对不能健康苗壮地成长了。

　　不过还有一种养分是无法通过妈妈、爸爸的爱与食物摄取的,那就是思维。

　　小朋友们每天都在思维,弟弟、妹妹、邻居、大树、小鸟、风、阳光、彩虹、昆虫、小伙伴、老师、爸爸、妈妈……

　　小朋友们的思维,感受着这些周边的事物,苗壮成长起来了。

　　让思维得以苗壮成长,让小朋友们拥有丰富想像力的当然是好的童话故事。

　　在阅读童话的过程中,小朋友们时而飞向宇宙,时而成为动物的好朋友,时而成为美丽的花朵……

　　一个国家, 在成长过程中阅读好童话的小朋友越多, 就越能成为智慧的乐园,千万要记住这个事实哟!

金永元

译 者 序

　　这是一个可爱的世界，这是一个绚丽的世界，这也是一个需要小朋友们思索的世界。这个世界是由 10 本童话书组成的。

　　《勇敢的小斑点》是一本惊心动魄的童话，因为它讲述了绽放生命是多么艰难。生命中充满了如此多的意外和危险，想要长大成人，是需要多么大的勇气与努力呀！任何生物，包括这本书的主人公小斑点，还有我们大家，都不能摆脱这样的命运。

　　有勇气，还要坚持，才能让我们在这个世界里找到属于自己的价值和意义。

　　小朋友们，我非常希望你们能够读到这本书，这本书会带给你们无尽的勇气，只要你们永远不忘记为了成为蝴蝶努力坚持下来的小斑点，那么你们也就不会害怕任何人生的挫折了。

　　希望所有的小朋友都和小斑点一样充满勇气，充满毅力。

　　作为北京环球启达翻译咨询有限公司的译者，由衷地感谢公司以及花山文艺出版社在本书的翻译和出版过程中给予的支持和帮助；感谢他们为了孩子们的未来所做出的不懈的努力。

许恩华

2005 年 9 月 10 日

1

勇敢的小斑点

目　录

风雨太可怕了

起风了。

树叶最喜欢风了。

风吹过来，树叶们都手拉着手，要么翩翩起舞，要么就高兴地拍着手。

鸟儿有些喜欢风。

虽然有了风,翅膀的动作有点儿吃力,但乘着风滑翔也真是很好玩的。

突然,正在愉快地玩耍的鸟儿叽叽喳喳地发出惨叫声逃跑了。

5

勇敢的 小斑点

"啊,都去哪里了呢?"

只有什么都不知道的**年幼**的麻雀们,叽叽喳喳**迷茫**地尖叫着。

突然,天空变得昏暗,下起了雨。

"啊，下雨了！"

"快点儿逃跑呀！"

年幼的麻雀们这才**扑腾着**小小的翅膀，躲进了树丛里面。

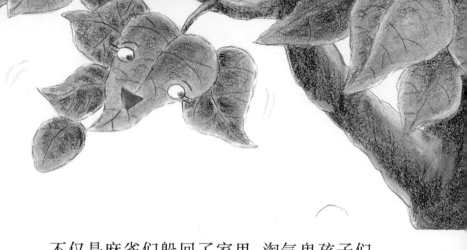

不仅是麻雀们躲回了家里，淘气鬼孩子们也开始跑向家里了。

"衣服全湿了，又要被妈妈教训一顿了！"

大呼小叫**乱跑**的孩子们，手上摇晃着捉蜻蜓的网兜。

估计是游荡在野地里，正在抓蝴蝶和蜻蜓，结果遇上了雨。

孩子们都变成泥汤小狗了。

不管被妈妈怎么教训，在外边玩过的孩子，回来的时候总是**脏兮兮**的。但却是非常健壮和健康的样子。

刮着风，下着雨，树叶更激烈地摇晃着。

"怎么办呀？我不知道。"

从什么地方传来了快**哭出来**的声音。

这是从白菜地里传来的声音。这是紧紧贴在白菜叶子上的菜粉蝶的卵的声音。

每当风雨吹过，白菜地里的白菜叶子就激烈地**摇晃着**。

"晕。感觉快要掉到地上了。"

"冷。冷得快受不了了。"

又传来了抽泣的声音。

"再忍一下。再忍一下雨就停了。"

小斑点紧贴在**白菜茎**上，用力这样说道。

小斑点是朋友中间最健壮的卵。

出生的时候，它最饱满，不管什么食物都喜欢吃。

别的朋友们只喜欢吃白菜里面嫩嫩的叶子，但小斑点更喜欢吃长得粗壮的白菜叶。

"呜呜呜呜……"

"啪啪啪啪啪啪……"

"哗哗哗哗……"

冰冷的风雨**可怕地吹打**着白菜叶子。

"实在是再也没法坚持了。没力气了。"

再次传来了细细的呻吟声。

"不行,不能失去力气。那样就死了。"

小斑点再次用力这样说道。

但传过来的声音实在是**太小太弱**了。

"啊,再见……"

与抽泣的声音一起,传来了这样的声音。然后恢复了平静。

"再忍一下就能活下去……"

小斑点**无力地自言自语着**。

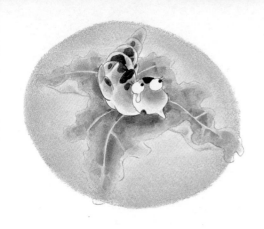

朋友们就这样一个接一个地死去了。

风雨的吹打持续了非常长的时间。

小斑点也**非常疲惫**了。

但是为了朋友们，它仍然做着最后的努力。

"我们只要再忍耐一下，就能成为非常帅的蝴蝶了。所以一定要鼓足勇气呀！"

听着小斑点的话，朋友们艰难地恢复了力气。

风雨最终停了下来。

小山上挂起了美丽的彩虹，**赤橙黄绿青蓝紫**，而且今天是双彩虹。

"哇，挂起了彩虹！"

再次传来了刚刚回到家里的孩子们的声音。

"我们去抓**彩虹**吧！"

孩子们这样大呼小叫着，稀里哗啦地钻出了胡同。

"啊，实在是要命呀！真是太吃力了。"

不管彩虹多么漂亮多么美丽，小斑点不在乎。因为实在是太**吃力**了。

朋友们消失了

小斑点再次鼓起勇气，叫了叫朋友们。

"都没事儿吗？"

"在我旁边的两个朋友消失了。"

"在我旁边的朋友也被水冲走了。"

"呜呜,我的朋友因为风,掉到了地上。"

"我最亲密的朋友不见了,呜呜呜呜……"

传来了这样有气无力的声音,小斑点真是非常心痛。

"我们会以世界上最美丽的样子重新见面的,所以不要太悲伤了。"

小斑点这样安慰着朋友们。

但是,泪水总是想要流出来。

因为在那期间,和小斑点**非常亲密**的朋友也不知消失在哪里了。

那是在小斑点的旁边,给它唱歌,也经常给它讲故事的非常多情的朋友。

想到那个朋友消失了,泪水总是想流下来。

"朋友呀,千万要活着呀。"

小斑点从心里这样说道。

在前几天,菜粉蝶的卵还超过 100 个。但细长的,泛着黄色的卵已经死了 10 个以上。

因为实在是没有力气,所以一旦风有点儿大了,卵就很难坚持活下去。

小斑点安慰着活下来的朋友们。

"不能太伤心了。离去的朋友们也肯定想看到我们站起来的样子。"

"对，要连朋友们的那份也加在一起，努力活下去。"

各处传来了生气勃勃的加油声。

卵的颜色逐渐**从黄色开始变成红色了**。这是长大了的证据。

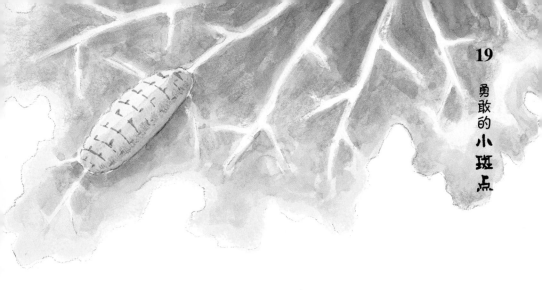

风雨会再次吹来的。

或许会有猛烈的暴风雨到来。

要是再遇到那样的暴风雨，能够活下来的方法只有一个。

就是努力吃，长力气。

长了力气,即便有风雨吹来,也能紧紧地贴在白菜叶子上。

从什么地方传来了奇怪的声音。

"啊,那是什么声音呀?"

朋友们停止吃白菜叶子,竖着耳朵倾听着。

"噗噗。"

"嘎嘎。"

声音虽然陌生,但非常好听。朋友们都看向了发出声音的方向。

挂在对面白菜叶子上的卵非常奇怪。红色的壳一点儿一点儿地张开了,绿色的头正在伸出来。

"哇,是脱壳而出呢。我们什么时候会变成那样呢?"

朋友们羡慕
地看着破壳露出脑
袋的幼虫们，然后
大呼小叫了起来。

"啊，我的身体也
奇怪了,哪里都痒痒。"

从各处愉快地传来了刚刚听到的
说痒痒的声音。

虽然非常小，但非常可爱的幼虫们开始破壳而
出了。

一下子破壳而出的幼虫，就像是英姿飒爽的
将军。

你真的很好看呀！

小学生人生养成魔法童话·忍耐篇

小斑点也轻松地**破壳而出**了。

"感觉我都成大人了。"

小斑点**骄傲地说**。别的幼虫朋友们也都纷纷表示赞同。

"你真好看呀。像你这样的幼虫真是第一次见到。"

"嘻嘻,真谢谢了。"

小斑点有点儿**害羞**,于是就这样说道。听说自己非常好看,所以小斑点的心情变得更好了。

　　有一个巨大的东西掉在了小斑点的旁边。

　　"这是什么呀?"

　　小斑点吓了一跳,仔细看了看**掉下来**的东西。

　　"啊,对不起。我本来是要掉到树下面的。结果风一吹就吹到这里来了。"

　　那是比小斑点大得多的幼虫。

　　"你是谁呀?"

　　"我是蝉的幼虫。"

　　"蝉?"

"我刚刚从卵里孵出来。你也是吧？"

"是呀，真是好不容易才出生的。"

小斑点耸了耸肩这样说道。

"虽然说你们变成幼虫很吃力，可与我们比起来，根本算不了什么。"

"那是什么意思呀？"

小斑点迷茫地问道。

"我们是去年出生的。"

"去年？"

"我们维持了很长时间的卵的状态，这才变为幼虫的。"

"真是很吃力呀。但你怎么掉到这里来了呀？"

"我们要钻到地底下，吃树根的汁，再次长大。"

"那要多久呀？"

"7 年。"

"7 年？要那么久呀？"

小斑点吓得叫了出来。

"哇，你真是了不起呀。"

"7 年，怎么忍得住呀？"

"要是我早就**憋闷**得忍不住了。"

朋友们也都用吓了一跳的表情看着蝉的幼虫。

听见**菜粉蝶**的幼虫们称赞自己,蝉的幼虫骄傲地说个不停。

"我们要再长 7 年,才能成为蛹,变成蝉。有的蝉要在地底下以幼虫的样子活 15 年呢。"

"真是吃力呀。比起你们,我们真是轻松。"

"不仅如此，我们一生只是为了在树上歌唱 15 天左右,就要忍受那么长久的痛苦。"

"真是不可思议呀。"

小斑点这样赞叹道。

"现在我要尽快钻到地底下了。钻进去吃美味的树根的汁,我要长大了。再见了。"

这样说着,蝉的幼虫挪到了树那边。

"我以为蝉只知道每天唱歌呢。"

"我也是。"

"我以为蝉们是一群只会唱歌的懒蛋,这下才知道它们活得特别认真。"

"从现在开始,我们也不要抱怨,真是要努力长大呀。"

"啊,知道了!"

"比起蝉,我们幸福得多呀!"

送走了蝉的幼虫,菜粉蝶的幼虫们再次鼓起了勇气。

蚂蚁打了进来

"啊!"

"大家快点儿躲起来!"

突然响起了惨叫声。

然后什么东西"咔咔咔"地响,传来了可怕的声音。

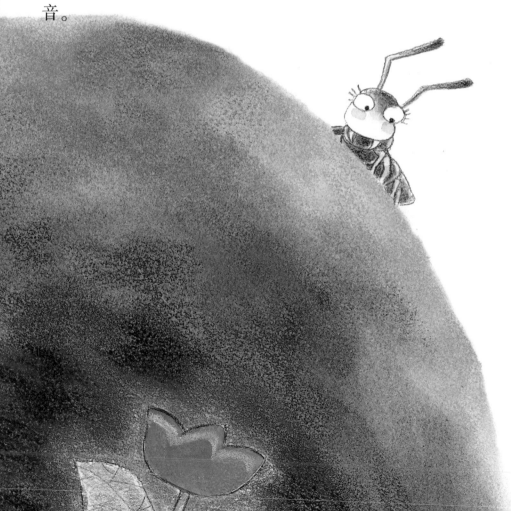

那是带着很多只脚的**黑色怪物**。

那是蚂蚁。蚂蚁以迅捷的速度,开始吃掉刚刚破壳而出的幼虫了。

"大家快躲到白菜叶子后面。鼓足勇气呀!"

小斑点向朋友们大声喊道。

朋友们害怕得不知所措了。

"快点儿藏到白菜叶子后面,快点儿!"

"没有力气了。"

"没法躲起来了!"

朋友们哭泣着,呼喊着。

但蚂蚁津津有味地**努力地捕食**着幼虫。

"刚刚破壳而出的幼虫,真是鲜嫩好吃呀。"

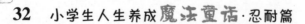

"要是每天这样饱餐，那就好了。"

蚂蚁**哼着歌**，捕食着幼虫。

"救救我吧！"

"我不想死！"

从各处传来了*最后的惨叫声*。

过了许久，蚂蚁才消失了。

活下来的幼虫不到 60 个。

"快点儿把自己的壳吃掉。那样就能有力气了。"

小斑点向活下来的朋友们这样喊道。

瑟瑟发抖的朋友们**鼓足勇气**，努力吃掉了壳。

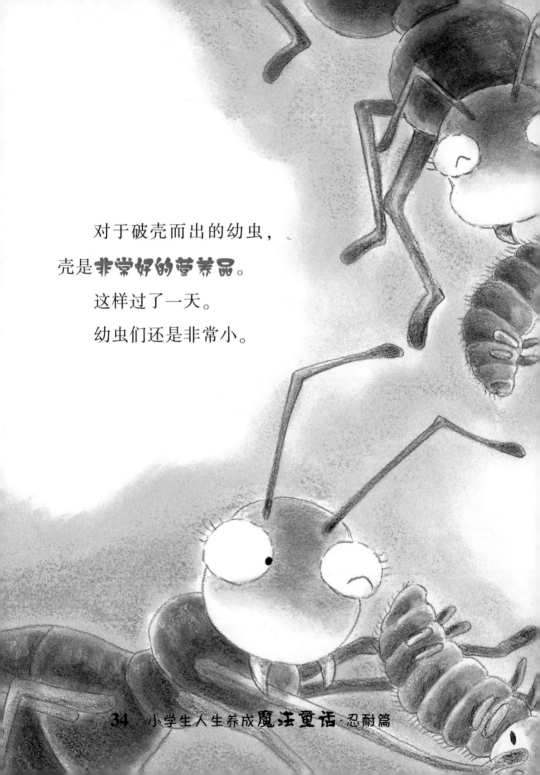

对于破壳而出的幼虫，

壳是**非常好的营养品**。

这样过了一天。

幼虫们还是非常小。

但经过一个晚上幼虫就已经变得很健壮了。

那是因为幼虫努力地吃了白菜叶子。

幼虫的身体**逐渐变成了绿色**。

"看看。我的身体实在是太美丽了。"

"我更美丽。看看这柔软的毛,真是美丽吧?"

大家都觉得自己的身体变得令人骄傲了。

"**得快点儿长大呀**。要是不想被别的昆虫或鸟儿吃掉,就要长力气呀。"

小斑点这样大喊道。

"那样有什么好呀？"

远离朋友们的懒蛋幼虫这样**阴阳怪气**地问道。

奇怪的是，那个幼虫不喜欢白菜叶子。

柔软的叶子倒是吃一点儿，但如果叶子有一点儿粗糙就摇着头不吃了。

"傻瓜，你真的不知道我们为什么要吃得多一点儿吗？"

"不知道才问的。"

"快点儿长大，我们才能摆脱成为昆虫或鸟儿食物的处境。"

"真的吗？吃多了就能**快点儿长大**吗？"

"就是那样呀。"

"那样鸟儿或昆虫就不能捕食我们了吗？那就得勤奋地吃叶子了！"

懒蛋幼虫**哼着歌**开始努力吃白菜叶子了。

但是那样的愉悦没能持续很久。

这时传来了非常危险的声音。

"是蜂！蜂打进来了！"

小斑点用非常非常大的声音叫喊道。

蜂不是一只，有数十只。

"赶快躲进白菜叶子里！赶快！"

虽然小斑点这样叫喊着，但也**没法避开**迅速接近的蜂。

幼虫们没有打架的力气。

小斑点看见了从那边接

近的蜂的**巨大的脸**。

那是可怕的脸。

那是**吸血鬼蜂**。

"那些蜂是来我们身上下卵的。不躲开，我们就**没法活下来了**！"

小斑点迅速地叫喊道。

"在我们身上下卵？"

"为什么非要在我们身上下卵呀？"

朋友们不知所措了。

"要不是那些蜂，我们会成为更美丽的蝴蝶。"

小斑点为了让朋友们安心，**非常非常**努力地说。

"蜂那样可怕吗？"

有人再次那样问道。

"或许在我们身上**会发生**最可怕的事情。"

　　　　"因为那些蜂吗？"

"就是呀！"

小斑点向因为恐惧而瑟瑟发抖的朋友们大声嚷嚷道。

无法鼓起勇气，只知道害怕的朋友们真是像傻瓜。

告诉小斑点吸血鬼蜂是多么可怕的，就是在小斑点的旁边给它唱歌的朋友。

"那些蜂会在我们身上下卵。那样，那卵就吃着我们的身体长大了。"

"因为那些蜂，我们在成为蛹之前，很多卵就要死掉了。估计一半还多。"

"那些蜂对于我们真是最可怕的敌人。"

那位朋友经常给小斑点讲这样的故事。

呜呜,我没法动了

吸血鬼蜂看见了小斑点和朋友,咂吧着嘴。

"快点儿躲开,快点儿!"

小斑点向朋友呐喊道。

"呜呜,我没有动的力气了。你先躲开吧。"

旁边的朋友**已经放弃了**,就乖乖地趴在了那

里。

"千万要躲起来呀。一旦那些蜂在你身上下卵，你就**完蛋啦，完蛋**啦！"

这样说着，蜂已到了小斑点的鼻子前面。

"躲开！"

小斑点扑向了朋友的身子。然后将身子蜷得圆圆的，掉到了白菜叶子下面。

"啊！"

惨叫声响了起来。但幸运的是，它们**掉到了底下**的茎上。

那里也有很多朋友们聚集着。

"啊，差点儿**出大事了**。"

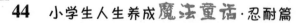

小斑点长长地呼出了一口气。

"我们都能活下来吗？已经有很多朋友死去了。"

有朋友抽泣着这样说道。

"我们能活下来。再坚持一下就能活下来。我们

能成为 非常 川的 蝴蝶 的。"

小斑点用力这样说道。

但是因为恐惧，小斑点的声音都发抖了。小斑点

的眼前浮现着因为**没有力气**，被吸血鬼蜂把卵下

到背上，跟死了似的趴在那里的朋友。

"还要坚持多久才能变成好看的样子呀？"

有朋友哭泣着这样问道。

"再坚持一下就可以。"

小斑点这样回答道。

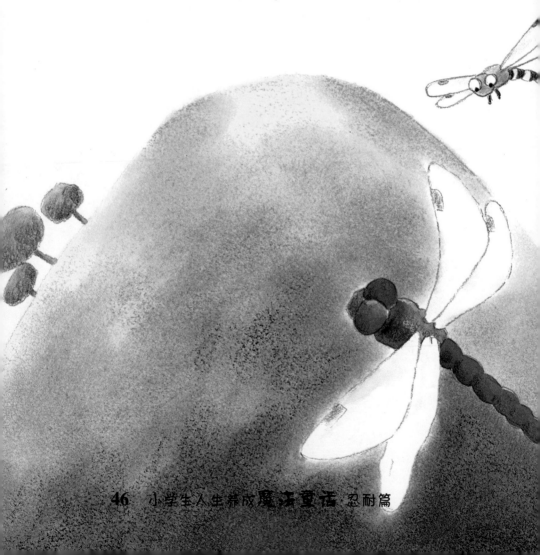

其实它自己也不自信。

小斑点也不知道,从今往后还要**经历多少痛苦**,才能变成美丽的样子。

现在朋友们都不到 12 只了。但是小斑点没有放弃希望。

为了消失的朋友们,也得勤奋地茁壮成长起来呀!

小斑点的身体比先前大了 19 倍。

别的活下来的朋友们也都长大了。

因为它们努力吃了将近 20 天的叶子。

吃累了**就睡觉**，醒来之后就蜕去原有的壳，更勤奋地吃叶子。

睡一觉，睡两觉，睡三觉，睡四觉，再睡了第五觉。

"我们都能活下来的。"

在睡最后一次觉之前，小斑点这样对其他的朋友们说道。

"真能那样吗？我们能**平安地长大**，成为蝴蝶吗？"

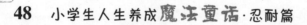

"相信我。只要努力吃东西长大，我们所期望的事情就会实现。"

小斑点自信地回答道。

在**月光明亮**的夜晚，就会传来朋友们咬食白菜叶子的美丽的声音。

"沙沙沙沙，沙沙沙沙。"

听着那个声音，小斑点就安心了。

现在朋友们不会再成为昆虫和鸟儿的食物了。

茁壮成长起来，成为**美丽的蝴蝶**该有多好呀！

"为什么睡了五次觉还这么难看呢？"

有的朋友失望地问道。

　　前阵子睡了两次的蟋蟀的幼虫身上,已经明显地长出了翅膀。

　　大概它是看着蟋蟀幼虫的变化,对自己现在还**短短粗粗**的身体失望了。

　　"我们会变成比那个蟋蟀美丽十倍以上的样子。但要那样,还有许多事情必须得经历。"

小斑点用力这样说道。

"什么呀？"

"从现在开始，都要散开，各自找到最安全的地方。"

听到小斑点的话，大家都**兴奋不已**。好像是要干什么大事了。

"得是不被鸟儿发现的地方。而且得选择**通风良好**的地方。"

小斑点这样说着，钻进白菜

叶子里面，让朋友们看得**清清楚楚**。然后把线挂在身上，扭转着身体，将线缠在了身上。

"这样就可以了。但是绝对**不能动**。我们会睡非常深的觉。"

"啊，真是容易呀。"

"这个我也可以。"

"对。估计会很容易。我们不是很喜欢睡觉吗？"

朋友们**相互吹捧**着，非常高兴。

"不是，绝对不容易。我们得用我们身长两千倍的线缠绕住身子。我们要干一生中最重大的事情。"

小斑点这样劝告着**兴奋不已**的朋友们。

"什么大事？"

"就是要经历把幼虫的身体变成成虫的身体的过程。"

小斑点骄傲地这样说道。

"是那样呀。那我们为了成为大人，要变成蛹了。"

"就是。为了**成为大人**！"

长大成人真难呀！

　　小斑点的话刚刚结束，就传来了沙沙的声音，是朋友们为了寻找安全的场所正在移动。大家都急急忙忙移动着。

　　小斑点已经看见朋友们把身体紧紧贴在白菜叶子上，正在拉出线缠绕身体。

　　大家都是**英姿飒爽**的。

　　"朋友们,再见。"

小斑点静静地自言自语道。

再次醒来的时候，大家就都会炫耀自己的帅样子了。

小斑点想起了前阵子钻到地底下的蝉的幼虫。那个幼虫要在**黑暗深邃**的地底下睡非常漫长的觉了。

它是为了有一天爬到树枝上，蜕掉最后的壳，清清爽爽地鸣叫。

在那瞬间，传来了非常奇怪的声音。

小斑点在壳里 地倾听着外面的声音。"咔咔咔咔"，那是又大又尖锐的声音。那是非常可怕的声音。

"出大事了！是大山雀！"

小斑点发出了惨叫。如果被那个鸟儿发现，谁也无法活下来了。

"千万，千万……"

小斑点揪着心。

想到不知有多少朋友会变成大山雀的食物而失去性命，小斑点两眼茫然。

但是却无法避开了。

"哎呀！我不想被吃。"

"救命呀！"

各处传来惨叫声。因为是在蛹中发出的，声音听起来更大更嘈杂。

要是被鸟儿发现，就绝对不可能活下来了。

但是鸟儿的眼睛非常尖利。

要是发现蛹,就会飞扑过来,**一口吞掉**。

"真是好吃呀。"

"蛹什么时候吃都好吃呀！"

吃饱的鸟儿嘻嘻哈哈地笑着，飞到了别的地方。

"**呜呜呜**,都成了鸟儿的食物了。"

"太可怕了,呜呜呜。"

各处传来了抽泣的声音。

周围的朋友们几乎都消失了。

"我们一定要成为蝴蝶再见面呀!"

小斑点鼓起勇气,安慰着活下来的朋友们。在这时放弃,就真的完蛋了。

"成了蝴蝶,想最先干什么呀?"

听了小斑点的话,因为恐惧**瑟瑟发抖**的朋友们开口了。

"我成了蝴蝶就要到那蕊柱上看看。花儿实在是太美丽了。"

"我要飞到那边的山坡上看看。到了那里好像就会找到生我的妈妈。"

"我要飞过山。然后去给我生的卵找可以平安长大的地方。"

蛹们忘记了悲伤，相互唧唧喳喳着。

小斑点长长地呼出了一口气。

因为朋友们再次鼓起了勇气。

时间流逝，朋友们的声音越来越小了。最终变得非常安静了。

"大家都去哪里了？"

不管小斑点多么焦急地问着，似乎没用。

"去哪里了？为什么不回答呀？"

小斑点用很大的声音呼唤着朋友们，等待着它们的回答。

小白,我多么想见到你呀!

"好像就只有我们两个。"

过了许久，有人就在旁边回答着。

小斑点以为朋友都死了，听到了这样亲切的声音，不知有多高兴。

"你从什么时候在那里的呀？"

小斑点这样问道。

"我都看见你成为蛹的样子了。你为了保护别的朋友努力的时候，我也在你身边呀。"

"原来是这样呀。那你叫什么名字呀？"

"小白。"

"小白？我是小斑点。我妈妈说，我的翅膀上会有两个*漂亮的斑点*。"

"噢，原来是那样。我的翅膀会成为非常白的白色。白色翅膀会非常美丽吧？"

两个小家伙一下子就<u>亲近</u>了起来。

"你成为蝴蝶，会非常漂亮的。"

小白这样说道。

小斑点说得真是太动听了。

"你也是。你会成为最美丽的蝴蝶。"

"那我们就都<u>平安地</u>活下来，比比看谁更美丽吧。"

"好吧。*我很有自信的。*"

"我也有自信。直至成为蝴蝶，我会一直想着你。"

小白的声音非常明亮。

就在那瞬间，传来了孩子们跑过来的声音。

估计孩子们为了**抓蝉或蜻蜓**，要到野地上去了。

"这里有蛹！"

有个孩子大叫了起来。

小斑点吓了一跳。

孩子们的脚步声逐渐接近了。

"用这个当做采集昆虫的作业好了。"

有个孩子摘下了小斑点贴着的大白菜叶子。

"啊,怎么办呀!小斑点。怎么办呀!"

小白快哭出来了,呼喊着小斑点。

"不要**太担心**了。我一定会回来的。"

小斑点试图让小白安心。

但它心里却打着鼓。

小斑点其实没有自信能平安回来。

那个孩子把贴着小斑点的白菜叶子放进了自己房间桌子的抽屉里。

抽屉里有**非常多**的东西。

那就像孩子的宝贝仓库。

不仅有纸元宝，还有数不清的**美丽的**橡皮、彩纸、别针。

但小斑点绞尽脑汁也没有想出逃出这里的办法。

不知过了多长时间。

小斑点在那**黑暗**的抽屉中，也没有放弃希望。它一直想着小白。

它想着小白美丽的翅膀，**努力**地想要改变忐忑不安的心情。

到了夜晚。

在什么地方传来了**生病的呻吟**声。

"妈妈,头疼。"

那分明是把小斑点放进桌子抽屉里的那个孩子的声音。

"天哪,感冒了。"

又传来了妈妈的**非常**担心的声音。

"咳咳咳咳。"

"呼噜呼噜。"

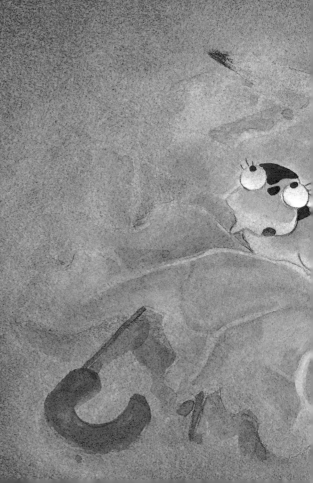

孩子觉得非常痛苦。

"你看吧。下雨了，还在外边玩儿，所以才生病了。"

小斑点想起了成了**泥汤小狗**还在玩耍的孩子们。

也想起了一天一天长高的孩子们茁壮而健康的样子。

每当孩子喊疼撒娇，妈妈就用亲切的声音安慰着孩子。

"不要太担心

了。是想成为大人了,所以疼呢。等病全好了,你就会变得更健康的。"

妈妈**努力地**哄着耍赖不想吃药的孩子。

"吃了这药, 感冒就会全好吗? 就会成为大人吗？"

"是呀。爸爸和妈妈也是像你这样得感冒,拉肚子,然后才成为**结结实实**的大人的。"

"知道了,妈妈。"

孩子的声音再次**充满**了生机。好像是不再耍赖了,开始吃药了。

"天哪,太苦了!"

再次传来了耍赖的声音。

小斑点好像看见了吞下苦药皱眉头的孩子的脸。

"是呀，我也要**像你那样成为大人**。就像你相信得过感冒之后就会长大，我也只要再忍一阵就成为蝴蝶了。所以请把我从这里放出来吧。"

小斑点这样**恳切地**向孩子说道。

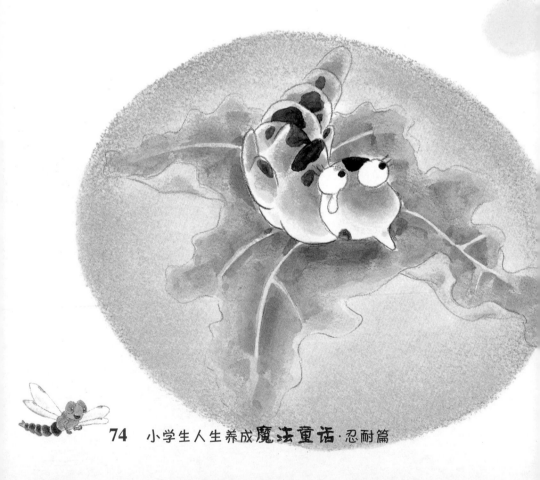

勇敢的**小斑点**

"我也想成为用美丽的翅膀自由飞翔的漂亮的蝴蝶,就像你想尽快成为健康的大人一样。"

小斑点祈祷着那个孩子能够知道自己恳切的心情。

如果那个孩子忘记了抽屉里的小斑点,小斑点就会在这里死掉的。

那个孩子好像是吃了药睡着了。

传来了均匀柔和的呼吸声。

但是小斑点却没法睡着。

小斑点只觉得非常恐惧

"不要担心,不要担心。"

小斑点这样安慰着自己。

"只有我鼓起勇气，别的朋友们才能茁壮成长。所以绝对不能害怕。我不是勇敢的小斑点吗？"

小斑点这样安慰着自己,觉得有了点儿勇气。

小斑点为了不再恐惧,开始想小白了。

"一定要活着呀,小白。"

小斑点想着小白漂亮的样子,这样悄悄地自言自语道。

"我一定会成为蝴蝶的。然后和你一起自由飞翔在广阔的田野上。一定！"

我们现在也是大人了

小斑点不知不觉间睡着了。

　　在梦里，小斑点梦到了它和小白一起自由飞翔在无边的花圃中。

小白的翅膀**真是太美丽了**。

小斑点的翅膀也非常好看。

漂亮的花儿们看着小斑点和小白的样子笑得更加**灿烂**了。

小斑点被什么声音惊醒,睁开了眼睛。

"干吗把这样的白菜叶子放到抽屉里呀?"

传来了孩子妈妈的声音。那个孩子的妈妈打开桌子的抽屉,发现了白菜叶子。

小斑点**非常**高兴。

那个孩子的妈妈拿着贴着小斑点的白菜叶子到了外面,然后把白菜叶子扔到了院子的菜地里。

"啊,活过来了。这下活过来了。"

小斑点流下了欢喜的泪水。

"小白!小白!"

小斑点**兴致勃勃**地叫着小白。但什么声音也没有。

小斑点突然觉得背部奇痒无比。

真是非常痒痒。因为太痒痒了,身体就扭来扭去的。小斑点不停地扭动着身子。

但那样做却更痒痒了。

"哎呀,实在太痒痒了。受不了了。"

小斑点发出了呻吟声。随着时间的流逝,小斑点觉得越来越痒。小斑点用尽**全力**扭动着身子。

就在那瞬间，背部突然传来了开裂的声音。小斑点觉得**特别害怕**。

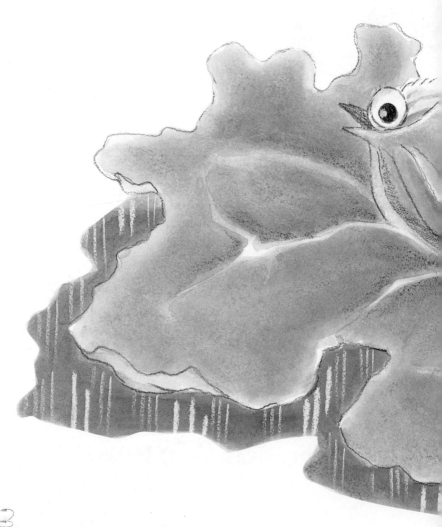

但是小斑点还是鼓起勇气,再次扭动身子。

"嘎!"

传来了更大的声音。

但是原本痒痒的背部再也不痒痒了。

小斑点的背部感觉到了凉爽的风。真是既甜美又凉爽的风呀。

"啊,我终于做到了!"

小斑点发出了欢呼声。然后脱开厚重的壳,到了外面。

小斑点到了壳的外面,看了看自己的身子。

它带着漂亮的翅膀。它也有修长的腿。而且也有好看的触角。

"哇!做到了,我真的做到了!"

小斑点在白菜叶子上面试着飞了一下,兴奋不已地欢呼着。

就在这时,有一个长着漂亮翅膀的蝴蝶飞到了小斑点的旁边。

"我一直在等着你呢。"

小斑点看了看那只漂亮的白蝴蝶。

"小白呀！是小白吧？"

小斑点高兴得不知所措了。

"我就知道你肯定会成为 **很帅** 的蝴蝶。"

小白这样说着却有点儿害羞。

但是好像不是很高兴。

"其实只有你和我才成为了蝴蝶。我们的朋友们
都成了鸟儿的食物。"

小白快哭了出来。小斑点用翅膀抚摸着小白。

　　然后它看着朋友们曾经变成蛹，吊在上面的白菜。

　　但是，那里却再也看不见朋友们了。

　　"朋友们，你们在哪里呀？"

　　小斑点向白菜地**大声呼喊着**。

　　"要是害怕躲起来了，现在可以出来了。我们现在成了美丽的蝴蝶呀！"

小斑点**焦急**地寻找着朋友们。

"没有用的。只有我们活下来了。"

小白这样安慰着小斑点。

"即便是为了死去的朋友们,我们也**一定要努力**生活下去呀。"

小白的话是对的。如果朋友们看见小斑点如此**悲伤**的样子,估计会非常失望的。

于是小斑点鼓起了勇气。

"到那边就会有装满美味花蜜的花朵。"

小斑点擦拭着泪水，向小白笑了一笑。

小白也看着小斑点，明亮地笑了起来。

"我们不是什么**艰难困苦**都熬过来了吗？以后也会那样的。所以一定要振作精神呀，嗯？"

小斑点朝着花飞去，用非常大的声音回答道。

"知道了。**有你在我就不悲伤了！**"

小白也扇动着漂亮而修长的翅膀，跟在后面，大声地回答小斑点。

作者后记

　　所有活着的东西都有妈妈。

　　从妈妈的身体中诞生出来，经历很多的艰难困苦，然后最终就会成为大人。

　　昆虫们活的时间比人短很多。

　　但在成为成虫之前，要经历非常多的艰难困苦。卵有可能成为昆虫或鸟儿的食物，也有可能会因为天气的原因失去生命。

　　菜粉蝶的卵一下子就会有 100 多个。

　　但要成为成虫得经历非常多的艰难。所以坚持到最后活下来，成为漂亮的蝴蝶的顶多有两只左右。

　　如果小斑点没能克服艰难困苦，放弃了成为蝴蝶的梦想,会怎么样呢？

　　估计是没法与漂亮的小白见面，也无法吃到美味的花蜜吧。

　　如果觉得吃力就轻易放弃，就绝对不可能获得完美的结果。

　　蝉为了唱几天歌,就在非常黑暗的地底下,以幼虫的形态挨过短则两三年，长则15年以上的时间。我们应该学习蝉这样的忍耐力。

妈妈讲给小朋友听的小故事

侵略韩国的日本人为了战争的目的连韩国的铜碟、铜勺和铜筷子都抢了去。

最后他们连动物园的铁栏杆都拆下来，造了用于战争的武器。

不仅如此，日本人甚至把养护动物的饲养员也派到了战场上。

而且日本人非常吝啬，不给动物吃东西。

"首先杀掉动物园的猛兽和大型动物。"

日本政府下了命令，要杀死韩国动物园里所有的动物。

但因为觉得子弹太贵，就改用毒药接二连三地杀死动物。

最先是大象吃了有毒食物断气，接着河马也死了，老虎和狮子也都死了。

　　动物们其实是很会闻味道的。

　　但是因为肚子太饿了，所以明知道食物里有毒药，还是吃了下去。

　　日本人等动物们饿到无法忍受的地步再给它们吃放进毒药的食物。

　　因为毒药，无数的动物就这样死去了。

　　但是韩国猎豹却不一样。

　　韩国猎豹似乎决心要饿死，从不出现在食物的旁边。

　　印度猎豹死了，黑豹也死了。

　　现在只剩下韩国猎豹了。

　　在那期间，力气大的动物一个不剩地死掉了。

　　秃鹫、老鹰和猫头鹰都已经死了很久了。

　　"怎么才能一下子把那个恶毒的小拧鬼杀掉

呢？"

日本人因为韩国猎豹坚强的忍耐力非常头疼。

"没有办法了。虽然子弹非常可惜，但只能用枪了。"

"那也不能承认我们输了呀。还是再找找更烈的毒药吧。"

"这样好像是一只韩国猎豹跟我们整个日本在战斗呀？"

日本人为了杀死韩国猎豹，找来了毒性更强的毒药。

他们把毒药藏在了美味的肉中。

现在已经瘦到皮包骨头的韩国猎豹，可能是太饿了，总是徘徊在食物周围。

然后，它神不知鬼不觉地吃掉了没有带毒药的部分。

这样，相互拉锯过了一个月。

"这样能忍的家伙还是第一次看见呀！"

日本人赞叹于怎么也不被骗的韩国猎豹的耐心。

"不能再这样下去了。得用别的办法。"

日本人明白了用毒药是杀不死韩国猎豹的，于是想出了别的诡计。

但是韩国猎豹却没有被这拙劣的诡计所骗。

韩国猎豹知道再饿也不能吃毒药，日本人也对韩国猎豹这样的耐心举手投降了。

"开枪！"

终于他们下达了这样的命令。

韩国猎豹似乎知道自己要死了。下达枪杀命令的那天，它依然平静地走动着。它没有为了活下去而做出卑劣的行为。

砰！

响起了巨大的枪声。韩国猎豹挨了枪也没有闭上瞪大的眼睛。

然后它慢慢地让骨瘦嶙峋的身子躺在了地面上,终于咽气了。

但是猎豹的两只眼睛却没有闭上，它怒瞪着向自己开枪的日本人。

大家有没有听说过"团结就是力量"这句话呢？牛粪大嫂与蜣螂就是非常好的合作伙伴，它们两个合作起来做了一件非常有意义的事情，从而实现了各自的社会价值。

这是一个小海鸥们的成长故事。咖比的妈妈和咖丽的妈妈有着截然不同的教育方式。咖比的妈妈严厉要求咖比,从小培养它远距离飞行的毅力和自己捕食吃的自立性;而咖丽的妈妈虽然口头上总是要求咖丽自己的事情自己做,但经常纵容咖丽依赖妈妈。

这里讲述的是这样一个故事。一个小女孩因为偶然的机会与一个小男孩相识,然后迅速建立起亲密的关系,但是她要与家里人一起回家了。但她不想离开这个小男孩,于是开始了和父母艰难的拉锯战。

故事中的动物朋友们的所作所为,会让小朋友们明白,不培养良好的卫生习惯,是多么可怕的一件事情。小朋友们如果要健康成长,就需要干净整洁的环境。但这样的环境也需要小朋友们的努力。

没有血缘关系的两个孩子,因为父母再婚生活在一起。小妹妹盼望哥哥的宠爱与理解,而心灵受到伤害的小男孩却费尽心思地伤害可怜的小女孩。在小女孩的爱心感动下,小男孩最终还是采下小女孩喜欢的郁金香,把它当做感冒药送给了小女孩。

这是一个惊心动魄的童话，因为它讲述了绽放生命是多么艰难。生命中充满了如此多的意外和危险，想要长大成人，是需要多么大的勇气与努力呀！任何生物，包括这本书的主人公小斑点，还有我们大家，都不能摆脱这样的命运。

这个故事讲述了身体有残疾的企鹅彭顺被原来的好朋友抛弃之后，又凭着自己的那份热忱和善良的心重新找到好朋友的故事。让我们大喊"友谊万岁"吧！

在这本《中了魔法的老师》中，我们将与两个淘气的孩子一起经历惊心动魄的魔法事件。让老师变成石头的魔法，是从哪里来的呢？聪明的读者们是不是能够猜出其中的奥秘呢？

这个故事讲述了瓢虫坚持不懈地寻找自己心爱的凤仙花种子的故事。在生活中我们经常会遇到一些困扰，刚开始或许会踌躇满志，但常常会半途而废。很多时候就是因为缺乏坚持，使胜利的喜悦与我们擦身而过。

这个故事讲述了一位非常负责任的教师，为了教育违背承诺的孩子们，用鞭子抽打自己的故事。故事里的三个淘气包三番五次违背承诺去水深的河里玩耍，老师为了让孩子们深切地感受到承诺的重要性，不惜用鞭子抽打自己的小腿。